Introduction

Welcome to *Francoscope en clair*. The two *Cahiers d'activités* follow the main course-book, *Francoscope à la mode*, and will provide you with plenty of practice for your examination. The *Cahiers* provide alternative listening, speaking, reading and writing tasks, and activities which may be done either instead of, or as an introduction to, material in the main course-book. As well as helping you to prepare for the listening, reading and writing assessment tasks in each examination module, you will also find help with the preparation of the two *Dossiers sonores*, and your final oral examination. Many of the activity sheets include an *aide-mémoire* box which will help you to revise some basic grammar and vocabulary.

The symbols used in the *Cahiers d'activités* are as follows:

 = pair-work   = listening item

The activities in *Francoscope en clair* will support you in preparing for your examination, but we hope that you will also find them interesting, and sometimes amusing, in their own right.

Making a success of French requires hard work. These *Cahiers* will help you to develop your basic vocabulary and language skills, and to get the best out of your efforts. When completed, we hope that they will also be a source of pride to you.

Bon courage et bonne chance!

Rubrics

ajoute (ajoutez)	*add*
calcule (calculez)	*calculate, work out*
choisis (choisissez)	*choose*
coche (cochez) les bonnes cases	*tick the correct boxes*
complète (complétez)	*complete, fill in*
copie (copiez)	*copy*
corrige (corrigez)	*correct*
décris (décrivez)	*describe*
dessine (dessinez)	*draw*
écoute (écoutez) la cassette	*listen to the cassette*
écris (écrivez)	*write*
explique (expliquez)	*explain*
fais (faites) un sondage	*do a survey*
fais (faites)/prépare (préparez) un dialogue	*make up a dialogue*
imagine (imaginez)	*imagine*
indique (indiquez)	*indicate, show*
inscris (inscrivez) le numéro/la lettre dans la bonne case	*write the number/letter in the correct box*
lis (lisez)	*read*
mets-toi (mettez-vous) à la place de	*imagine you are, pretend to be*
mets (mettez) … dans le bon ordre	*put … in the right order*
peux-tu (pouvez-vous) identifier …?	*can you identify …?*
prends (prenez) le rôle de	*take the part of, pretend to be*
prépare (préparez)/fais (faites) un dialogue	*make up a dialogue*
regard (regardez)	*look at*
relie (reliez)	*link up*
remplace (remplacez)	*replace*
remplis (remplissez) les blancs/la grille	*fill in the blanks/ the grid*
réponds (répondez) aux questions	*answer the questions*
souligne (soulignez)	*underline*
tire (tirez) une carte au hasard	*pick a card at random*
travaille avec un/une partenaire	*work with a partner*
travaille dans un groupe de trois	*work in a group of three*
trouve (trouvez)	*find*
utilise (utilisez) un dictionnaire	*use a dictionary*
vrai ou faux?	*true or false?*

L'Europe

1 Tu es fort(e) en géo?

Peux-tu nommer tous les pays de la carte?

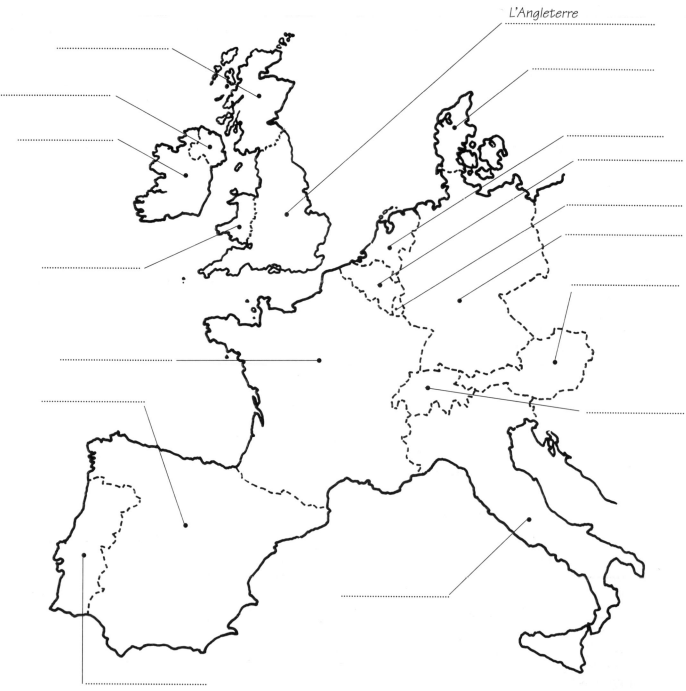

L'Angleterre

l'Angleterre	le Portugal	l'Écosse	la Belgique
la France	l'Espagne	le Luxembourg	la Suisse
le pays de Galles	l'Irlande du Nord	l'Italie	l'Autriche
la République d'Irlande	l'Allemagne	la Hollande (les Pays-Bas)	le Danemark

En voyage

17.1 **1 Dans quels pays es-tu déjà allé(e)?** ▬▬▬▬

Je suis déjà allé(e) . . . .

. . . .

Je ne suis jamais allé(e) . . . .

. . . .

J'aimerais bien aller . . . .

. . . .

le ___	➔ au ___
la ___	➔ en ___
l'___	➔ en ___
les ___	➔ aux ___

17.1 **2 Jeu** ▬▬▬▬▬▬▬▬▬▬▬▬▬

Regarde ces voitures. Elles viennent de différents pays européens.
Remplis la grille en inscrivant le nom de chaque pays et tu trouveras le mot mystérieux!
(C'est quelque chose qu'il ne faut pas oublier quand on voyage à l'étranger!)

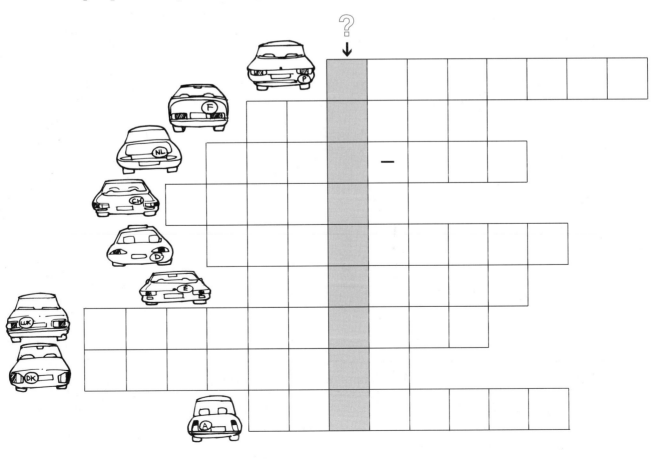

Mes préférences

17.1,2,5 ## 1 Comment voyager?

Fais dix phrases basées sur le modèle ci-dessous.

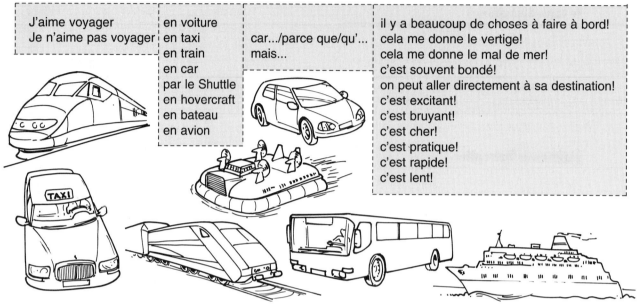

| J'aime voyager
Je n'aime pas voyager | en voiture
en taxi
en train
en car
par le Shuttle
en hovercraft
en bateau
en avion | car.../parce que/qu'...
mais... | il y a beaucoup de choses à faire à bord!
cela me donne le vertige!
cela me donne le mal de mer!
c'est souvent bondé!
on peut aller directement à sa destination!
c'est excitant!
c'est bruyant!
c'est cher!
c'est pratique!
c'est rapide!
c'est lent! |

17.3 ## 2 Formules de vacances

 a Écoute ces cinq personnes parler de leur type de vacances préféré. Inscris le bon numéro à côté de chaque image

b Et toi? Qu'est-ce que tu préfères?

> un séjour au bord de la mer / à la campagne / à la montagne / à la ferme, en ville, *etc.*
> camper / faire du caravaning / loger dans un gîte / loger dans une AJ / descendre à l'hôtel, *etc.*

Moi, je préfère . . . .

À la gare

17.7 | 1 C'est toi l'interprète!

Voici des Britanniques qui ne comprennent pas le français. Peux-tu les aider en leur indiquant le panneau qui correspond à chaque question?

Where are the loos? i
I wonder which way it is to the station? ☐
My feet are killing me! Where's the waiting room? ☐
Where do we go to get tickets? ☐
I need to change some more money! ☐
Which is the way to the platforms? ☐
Where's the way to the bus station? ☐
There must be an underground station here! ☐
Is there somewhere we can leave our cases? ☐
When does our train leave? ☐

a **Consigne automatique** ↘

b **SNCF**

c **Sortie** Gare Routière

d **Salle d'attente**

e **Bureau de Change**

f **SNCF Départ**

g **MÉTRO**

h **Accès aux quais** ↓

i **Toilettes** ↘

j **BILLETS**

17.7 | 2 Prenons le train!

Travaille avec un/une partenaire. Imaginez que vous voyagez en train. Prenez les rôles de
a un/une touriste   **b** un/une employé(e) de la SNCF:

le/la touriste   **l'employé(e)**

Exemple:

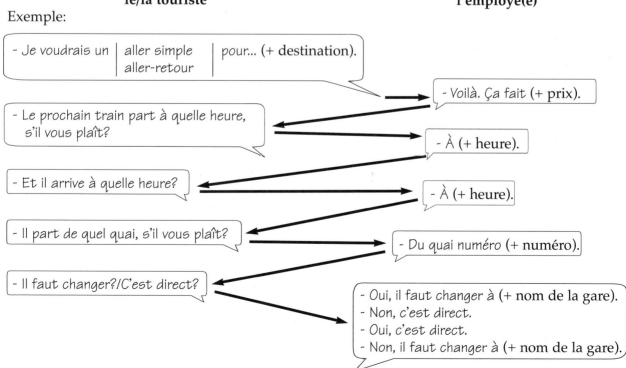

- Je voudrais un | aller simple / aller-retour | pour... (+ destination).

- Voilà. Ça fait (+ prix).

- Le prochain train part à quelle heure, s'il vous plaît?

- À (+ heure).

- Et il arrive à quelle heure?

- À (+ heure).

- Il part de quel quai, s'il vous plaît?

- Du quai numéro (+ numéro).

- Il faut changer?/C'est direct?

- Oui, il faut changer à (+ nom de la gare).
- Non, c'est direct.
- Oui, c'est direct.
- Non, il faut changer à (+ nom de la gare).

En voyage!

17.6,7 **1 À quelle heure? De quel quai?**

 Écoute la cassette. À quelle heure partent ces différents trains? Et de quel quai? Remplis la grille.

	Départ	Quai
	9h20	3

a Le prochain train pour Paris part à quelle heure, s'il vous plaît?... Et de quel quai?

b Le prochain train pour Lyon part à quelle heure, s'il vous plaît?... Et de quel quai?

c Le prochain train pour Marseille part à quelle heure, s'il vous plaît?... Et de quel quai?

d Le prochain train pour Nantes part à quelle heure, s'il vous plaît?... Et de quel quai?

e Le prochain train pour Bordeaux part à quelle heure, s'il vous plaît?... Et de quel quai?

17.9 **2 Comment as-tu voyagé?**

Regarde l'illustration et remplis les blancs avec les mots qui conviennent.

Voici des mots possibles:

à pied	un taxi
le métro	le Shuttle
le train	l'avion
l'hovercraft	le bateau

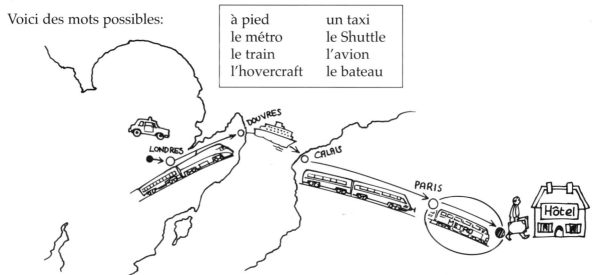

J'ai pris .... de chez moi à la gare. J'ai pris .... de Londres à Douvres.

Là, j'ai pris .... pour Calais. Là, j'ai pris .... pour Paris. À Paris, j'ai pris ....

à une station qui se trouve à 200 mètres de l'hôtel. Je suis allé(e) à l'hôtel ....

Au camping

18.1 **1 Réservation par téléphone**

Écoute ce répondeur automatique et inscris les numéros de téléphone des quatre campings de la région.

Exemple:
> **Camping Bel-Air**, Rue du Château d'Eau ☎ *03. 23. 36. 45. 52*
> **Camping la Métairie**, Rue des Pommiers ☎ ... ...
> **Camping Municipal**, Route de Longvallon ☎ ... ...
> **Camping Les Prés Verts**, Impasse de la Bergerie ☎ ... ...

18.2 **2 Jeu**

Trouve le mot mystérieux et tu vas pouvoir compléter la phrase ci-dessous.

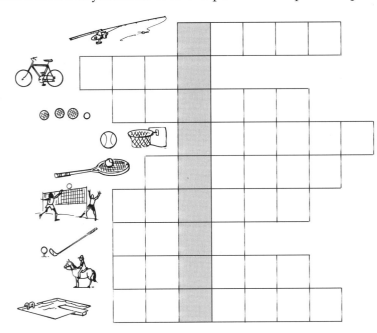

> Nous n'aimons pas ce camping car notre tente est trop près des ....

18.5 **3 Une réservation à un terrain de camping**

Complète cette lettre en utilisant les mots proposés.

> *le 10 mai*
>
> Monsieur/Madame
>
> Pouvez-vous nous réserver un .... pour deux ....
> du 7 au 9 .... Nous sommes deux ....
> et trois .... et avons une .... et une ....
>
> Je vous prie d'agréer, monsieur/madame, l'expression de mes sentiments les meilleurs.
>
> ....
> (signature)

nuits	enfants	emplacement	
adultes	tente	juillet	voiture

Il y a...? On peut...?

18.2 **1 Qu'est-ce qu'il y a à faire au camping?**

a Copie ces 12 symboles sur une feuille de carton. Fais-en des petites cartes en découpant le long des pointillés.

b Travaille avec un/une partenaire. Prenez chacun quatre cartes au hasard et posez-vous des questions:

> Il y a un/une . . . . dans ton terrain de camping?
> On peut . . . . . . au camping?

Si tu as la carte en question, tu réponds:

> Oui, il y a un/une . . . .
> Oui, on peut . . . .

Sinon, tu réponds:

> Non, il n'y en a pas!
> Non, on ne peut pas (faire ça)!

Exemple: – On peut louer des vélos au camping?
– Oui, on peut louer des vélos.

une piscine	jouer au volley
un magasin	faire de l'équitation
une salle de jeux	aller à la pêche
un terrain de jeux	louer des vélos
un restaurant	acheter des plats à emporter
un court de tennis	changer de l'argent

Dans notre camping...

18.2 **1 Des panneaux, des panneaux!**

Voici des panneaux. Peux-tu ajouter la légende qui correspond à l'illustration?

Les chiens ne sont pas admis!

- Location de planches à voile
- Les chiens ne sont pas admis!
- Respectez la tranquillité de vos voisins!
- Eau potable
- Promenades en bateaux
- Pêche en mer
- Aire de jeux pour enfants
- Centre équestre

18.2,5 **2 Une lettre**

Copie cette lettre en remplaçant les illustrations par les mots qui y correspondent. Mais attention! Tu ne vas pas utiliser tous les mots!

Cher Jean,

Nous sommes dans le ⬇S de la [France] près de Toulon.

Nous sommes dans un [camping] avec notre [voiture] et la [caravane]. Il fait [beau]. Nous sommes près de la [rivière]. On peut louer des [vélos] et des [bateaux]. On peut jouer au [tennis], au [golf], et aux [boules]. On peut faire de l' [équitation] et aller à la [piscine] aussi. Il y a une grande [terrain de camping] et un très bon [restaurant].

C'est formidable! *Olivier*

nord	bateaux	pleut	boules	beau	caravane	France	tennis
hôtel	est	vélos	piscine	moto	sud	golf	pêche	froid	ouest
rivière	terrain de camping	voiture	restaurant	Angleterre	équitation

À l'auberge de jeunesse (1)

1 Où est...?

a Regarde l'illustration et inscris le bon numéro à côté de chaque pièce:

9	le bureau de la direction
☐	la cuisine
☐	le dortoir des filles
☐	le dortoir des garçons
☐	les douches des garçons
☐	les douches des filles
☐	la laverie-buanderie
☐	la réception
☐	le réfectoire
☐	la salle de jeux
☐	la salle de séjour
☐	la salle de télévision
☐	les toilettes

b C'est vrai (*v*) ou faux (*f*)?

   i La salle de télévision est au sous-sol.   ☐

   ii Les toilettes sont au rez-de-chaussée.   ☐

   iii La salle de séjour est au premier étage.   ☐

   iv Le bureau de la direction est au deuxième étage.   ☐

au deuxième étage →

au premier étage →

au rez-de-chaussée →

au sous-sol →

c Complète les phrases suivantes:

Le réfectoire est . . . .

Le dortoir des garçons est . . . .

La laverie-buanderie est . . . .

Les douches des filles sont . . . .

À l'auberge de jeunesse (2)

18.7 1 Jeu de rôle

Travaille avec un/une partenaire. Prenez le rôle de:

a un/une touriste

b le père/la mère aubergiste.

Basez votre dialogue sur l'illustration (**voir 3/9, exercice 1a**) et le modèle ci-dessous.

le/la touriste **le père/la mère aubergiste**

– Bonjour, monsieur/madame.

– Bonjour mademoiselle/jeune homme.

– Où est/sont le/la/l'/les..., s'il vous plaît?

– Au premier étage (*etc.*)

– Il y a un/une/des... à l'auberge?

– Oui, au sous-sol (*etc.*)

– Merci beaucoup.

– De rien./Il n'y a pas de quoi.

18.11 2 Une réservation à l'AJ

Lis cette lettre. Écris-en une autre pour les personnes ci-dessous en changeant les mots et expressions soulignés.

> Monsieur/Madame,
>
> Pouvez-vous me réserver <u>quatre</u> places pour les nuits <u>du 6 au 8 mai</u>. Nous sommes <u>quatre</u> étudiants (<u>deux garçons et deux filles</u>). Nous avons des cartes d'étudiants.
> Est-il possible de louer <u>des sacs de couchage</u>? Est-ce qu'il y a <u>une piscine</u> à l'auberge? Est-ce qu'on peut y <u>jouer au tennis</u>? Est-ce qu'il y a <u>des magasins</u> dans le coin?
>
> Je vous prie d'agréer, monsieur/madame, l'expression de mes sentiments les meilleurs.

En route! (1)

1 À la station-service

Voici des gens dans une station-service. Qu'est-ce qu'ils demandent? Complète les phrases.

a   Est-ce que vous avez ...*des glaces, s'il vous plaît*...?

b   Est-ce que vous avez des ....?

c   Vous avez des ...., s'il vous plaît?

d   Avez-vous des ...., s'il vous plaît?

e   Est-ce que vous avez des ....?

f   Est-ce que vous avez des ....?

> timbres
> cartes postales
> glaces
> cartes routières
> journaux
> boissons

> Vous avez des ...?
> Avez-vous des ...?
> Est-ce que vous avez des ...?

Unité 19 **2 Jeu**

Remplis la grille en inscrivant le nom de chaque objet et tu trouveras quelque chose qui est *essentiel* pour les automobilistes!

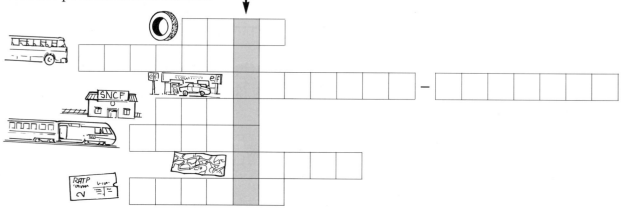

L'automobiliste a besoin d'.............................

En route! (2)

19.3 1 Nous avons...

a Regarde les dessins et lis les textes. Inscris le bon numéro à côté de chaque dessin.

i Mes parents ont une vieille Citroën.
J'ai un vélomoteur. Mon frère a un VTT.

ii Ma mère vient d'acheter une Citroën neuve.
Moi, j'ai une moto. Ma soeur a un vélomoteur.

iii Mon père a une grosse Mercedes et ma mère
une petite Fiat. Mes deux frères et moi avons un vélo.

iv Nous n'avons pas de voiture en ce moment.
Tous les membres de la famille ont un vélo.

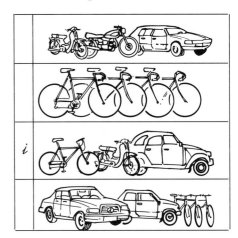

b Et vous? Qu'est-ce que vous avez?

J'ai...	un vélo/un vélomoteur/une moto			
Mon père/Ma mère (*etc.*) a... Mes parents (*etc.*) ont...	une	petite grosse	Volvo (*etc.*)	blanche/noire/ bleue/verte, *etc.*

19.4 2 C'est toi l'interprète!

Tu es en France avec ta famille et vous êtes perdus. Vous trouvez une petite station-service dans la campagne. Tout le monde te pose des questions en anglais. Peux-tu trouver les questions qui correspondent en français?

Ask him the way to Rennes. ☐
Ask if they've got any road maps. ☐

Ask him to fill it up with 4 star. ☐
Ask him to check the tyre pressure. ☐
Ask him to check the oil. ☐
Ask him to check the water. ☐

Ask if it's far to the motorway. ☐
Ask where the toilets are! *a*

a Où sont les toilettes, s'il vous plaît?
b C'est loin, l'autoroute?
c Pouvez-vous vérifiez l'huile, s'il vous plaît?
d Faites le plein de super, s'il vous plaît.
e Pouvez-vous vérifiez les pneus, s'il vous plaît?
f Pour aller à Rennes, s'il vous plaît?
g Avez-vous des cartes routières, s'il vous plaît?
h Pouvez-vous vérifiez l'eau, s'il vous plaît?

En panne

1 Au secours!

 a Trois des voitures représentées sur cette carte sont en panne. Écoute les coups de téléphone reçus par le garage. Peux-tu identifier les voitures?

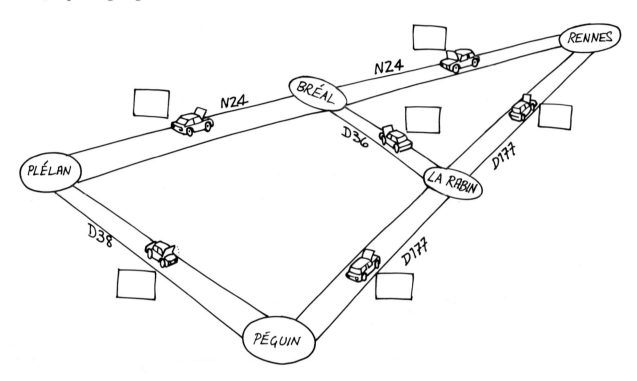

 b Travaille avec un/une partenaire. Prenez les rôles de:
 a un/une garagiste
 b le/la propriétaire d'une des voitures de la carte.
Imaginez votre conversation au téléphone. Utilisez les phrases ci-dessous.

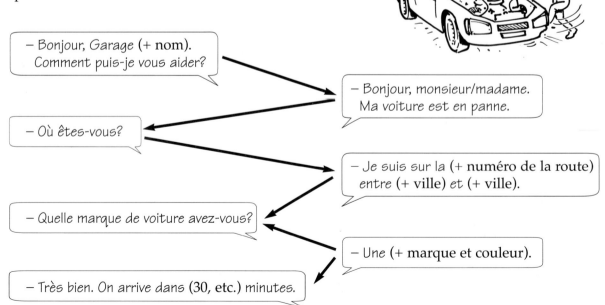

Sorties, excursions, visites

20.2 **1 C'est une erreur!**

Écoute ce répondeur automatique qui donne des renseignements sur différentes excursions.
Coche les informations qui sont correctes et corrige celles qui sont fausses.

Exemple:
- **Arromanches:** Départ 9h00 ✓ Retour 1~~8h00~~ ✗ *19h00* (150F) ✓
- **Croisière sur l'Yonne:** Départ 11h00 Retour 19h00 (160F)
- **Château-fort de Châteaudun:** Départ 10h00 Retour 16h00 (130F)
- **Parc du Marquenterre:** Départ 10h30 Retour 15h30 (90F)
- **Le Touquet:** Départ 9h30 Retour 18h30 (140F)

20.6,7 **2 Où est-ce que ça se trouve exactement?**

Voici des instructions pour aller de l'hôtel à l'hôpital.

En sortant de l'hôtel, tourne à gauche. Puis tourne à droite aux feux. Après ça, prends la première à gauche. Tourne à gauche au carrefour. L'hôpital est sur la droite.

Sur le même modèle, écris des instructions:

a pour ton copain/ta copine qui veut aller à la piscine.

b pour un/une adulte qui veut aller à la gare.

Tourne...!
Va...!
Prends...!

Tournez...!
Allez...!
Prenez...!

...à gauche/droite
...tout droit
...la première/deuxième, *etc.* à gauche/droite
...sur la gauche/droite
...au carrefour/aux feux, *etc.*
...puis/après ça

Quelle jolie ville! Quel joli village!

20.4,9 **1 Tu exagères!**

Prépare un dépliant touristique pour encourager les touristes à visiter ton village/ta ville/ton quartier. Pour les attirer, il faut parfois exagérer (c'est-à-dire *mentir!*). Mentionne au moins dix choses!

Exemple: *Visitez le village historique de Cruddington: son volcan; sa pyramide; ses forêts tropicales!*

Visitez . . .

Menteur!!...Menteuse!!

Voici quelques notes pour t'aider:

Visitez le village/la ville/la banlieue, *etc.* de Cruddington, *etc.*
Son (+ *attraction*)
Sa (+ *attraction*)
Ses (+ *attraction*)
C'est un village/une ville, *etc.* (+ *adjectif*)

le ___ ➔ son ___
la ___ ➔ sa ___
l'___ ➔ son ___
les ___ ➔ ses ___

Adjectifs:
touristique/historique/universitaire/
médiéval(e)/industriel(le), *etc.*

Attractions:
la piscine olympique/la cathédrale/
le parc d'attractions/le château, *etc.*

La météo

21.1,4 **1 Quel temps va-t-il faire?**

 a Cette jeune fille vient d'écouter la météo. Elle raconte le temps qu'il va faire aujourd'hui dans différentes régions de France. Dessine les symboles qui conviennent dans les cases ci–dessous:

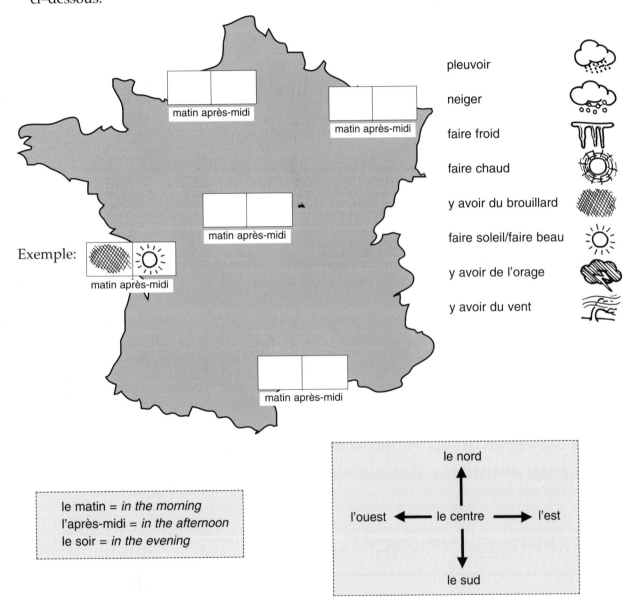

le matin = *in the morning*
l'après-midi = *in the afternoon*
le soir = *in the evening*

b Complète les phrases suivantes:

i Dans l' . . . . de la France, il va y avoir du. . . . . le matin, mais il va faire . . . . l'après-midi.
ii Dans l'. . . . ., il va y avoir du soleil le matin, mais il va faire . . . . l'après-midi.
iii Dans le . . . ., il va faire chaud le . . . . puis il va y avoir de l'. . . . . l'après–midi.
iv Dans le sud, il va faire . . . . et très . . . . toute la journée.
v Dans le nord, il va . . . . et il va y avoir du . . . . très fort.

Ça dépend du temps

21.1,5 **1 On verra**

Tu parles avec un copain/une copine de ce que vous allez faire demain. Complète les phrases suivantes avec les activités qui conviennent selon le temps qu'il fera:

aller à la piscine

aller au cinéma

rester à la maison

aller à la plage

regarder la télé

faire du shopping

jouer au tennis

écouter des disques

faire un pique-nique

Qu'est-ce qu'on va faire?

S'il fait chaud, on va ..... *aller à la plage* ....

S'il pleut, on va ....

S'il fait mauvais, ...

S'il fait beau, ...

21.1,6 **2 Qu'est-ce qu'on va faire?**

Travaille avec un/une partenaire. Imaginez un dialogue entre:
a un/une Britannique et
b son correspondant français/sa correspondante française.

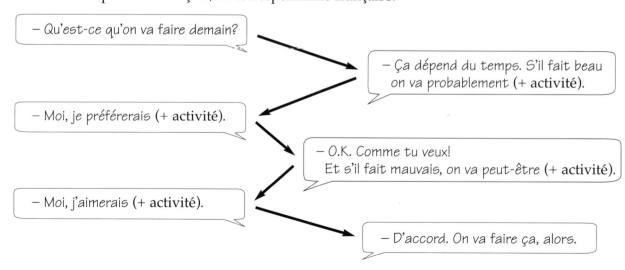

– Qu'est-ce qu'on va faire demain?

– Ça dépend du temps. S'il fait beau on va probablement (+ activité).

– Moi, je préférerais (+ activité).

– O.K. Comme tu veux!
  Et s'il fait mauvais, on va peut-être (+ activité).

– Moi, j'aimerais (+ activité).

– D'accord. On va faire ça, alors.

Des courses

21.7,8 **1 Qu'est-ce que je dois acheter?**

Ces trois personnes doivent faire des courses. Voici ce qu'ils doivent acheter. Fais une liste pour chaque personne.

a

b

c

| un pantalon un pamplemousse une pellicule photo des allumettes un poulet |
| du papier à lettres une ceinture des pommes de terre |
| des enveloppes une chemise des chaussures des lunettes de soleil |
| du jus de pommes un roman des chaussettes |

21.7,8,12 **2 À toi**

Et toi? Qu'est-ce que tu as acheté récemment?
Récemment j'ai acheté . . . .

Et qu'est-ce que tu vas acheter le week-end prochain?
Le week-end prochain je vais acheter . . . .

Cher.../Chère...

22.6,9   **1 Une lettre aux parents**

Voici la lettre que Sandrine a écrite à ses parents. Lis-la. Les phrases ci-dessous, sont-elles vraies (*v*) ou fausses (*f*):

> *Chère maman, cher papa,*   Bristol, le 3 juillet
> *Je suis arrivée lundi soir. Le voyage était long et ennuyeux.*
> *J'ai eu le mal de mer! Ma correspondante s'appelle Lucy. Elle*
> *est fille unique et est très égoïste. Elle n'a pas de copains.*
> *On ne sort pas. On reste à la maison; on fait des jeux*
> *électroniques sur son ordinateur ou on regarde la télé.*
> *C'est dommage car elle habite à la campagne et la région est*
> *très belle. J'aimerais bien faire des promenades ou aller en*
> *ville. Vous me manquez beaucoup!*
> *À dimanche!*   Sandrine

a Sandrine est en Angleterre. ☐

b Elle est arrivée pendant le week-end. ☐

c Elle a été malade en route. ☐

d Lucy est sympa et a beaucoup d'amis. ☐

e Elles ont fait beaucoup d'excursions ensemble. ☐

f Sandrine n'aime pas la région où habite Lucy. ☐

g Elle va rentrer le week-end prochain. ☐

h Elle n'est pas très contente de son séjour. ☐

22.6,9   **2 En vacances**

Choisis une des trois images ci-contre et écris une lettre en utilisant le modèle proposé. Tu peux ajouter d'autres détails si tu veux!

> Cher *Patrick/Alain*, etc. / Chère *Marie/Simone*, etc.
>
> Je suis à *Paris/Londres/Amsterdam*. C'est *formidable/intéressant/ennuyeux*. *L'AJ/Le camping/L'hôtel* est *chouette/horrible/pas mal*. Il *pleut/fait beau/fait froid*. J'ai visité *une cathédrale/un musée/un parc d'attractions*. Maintenant, je vais aller *à un concert/à la piscine/au lit*.
>
> Au revoir! Amitiés, ...

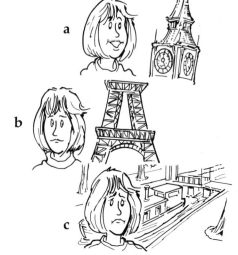

À l'étranger

22.9 **1 Des cartes postales**

Voici des cartes postales envoyées de différents pays. Complète les phrases ci-dessous avec le nom de pays qui convient.

a

b

c

d

e

f

g

h

a   *Je suis allé(e) en Grande Bretagne* ....
b   *Je suis allé(e)* ....
c   ....
d   ....
e   ....
f   ....
g   ....
h   ....

en Allemagne
en Autriche
en Belgique
en Écosse
en Espagne
en Hollande
en Irlande
en Italie
en Suisse
au pays de Galles
au Portugal
aux États-Unis
aux Pays-Bas

22.9 **2 Et toi?**

Es-tu déjà allé(e) dans ces pays?

Je suis allé(e) ....   C'était ....
Je suis allé(e) ....   C'était ....
Je suis allé(e) ....   C'était ....
Je suis allé(e) ....   C'était ....
Je suis allé(e) ....   C'était ....

Sensationnel!	Pas mal!	Affreux!
Fantastique!		Horrible!
Formidable!		

À votre service

21.1,2,3,4 **1 C'est possible?**

a Fais des phrases:

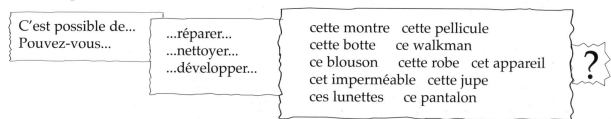

> C'est possible de...
> Pouvez-vous...

> ...réparer...
> ...nettoyer...
> ...développer...

> cette montre   cette pellicule
> cette botte   ce walkman
> ce blouson   cette robe   cet appareil
> cet imperméable   cette jupe
> ces lunettes   ce pantalon

?

b Travaille avec un/une partenaire. Imaginez ces quatre dialogues:

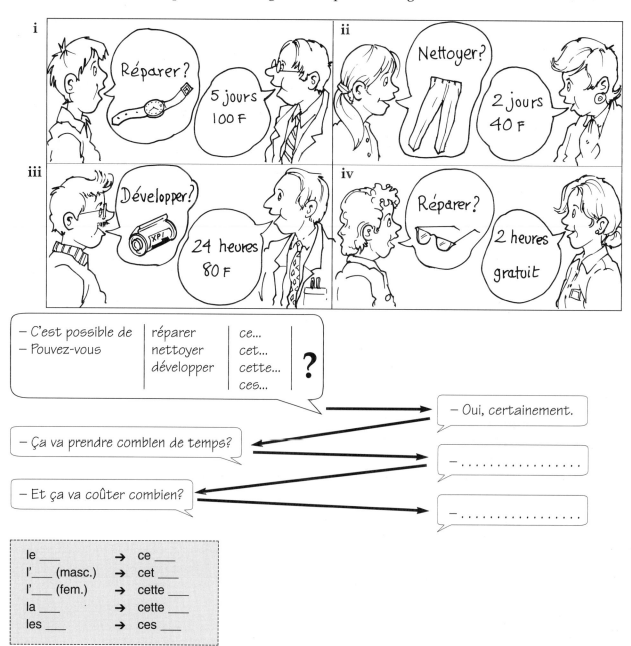

Quelle malchance!

1 Jeu

Complète les phrases en inscrivant le mot illustré dans les cases. Le mot mystérieux complète la phrase en bas.

J'ai perdu mon...

J'ai perdu mon...

J'ai perdu ma...

J'ai perdu mon...

J'ai perdu mon...

J'ai perdu mon...

J'ai perdu mon...

J'ai perdu mon...

J'ai perdu mon...

J'ai perdu mon...

J'ai perdu mes...

J'ai perdu mon...

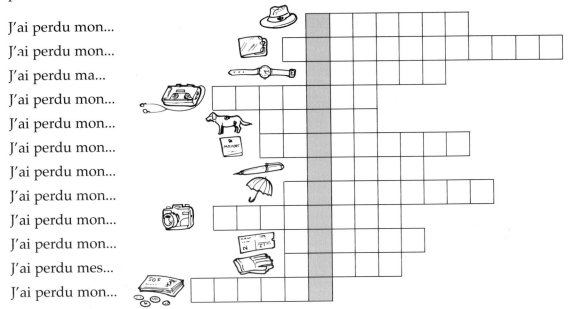

Si tu perds quelque chose, il faut aller demander au . . . .

2 Perdu(e)(s)!

Quelqu'un a perdu son pullover et a mis cette petite annonce dans la vitrine d'un magasin. À l'aide des notes ci-dessous, écris des cartes pour deux autres objets perdus. Il faut mentionner:

a *l'objet perdu* avec *une description*

b *quand* tu l'as perdu

c *où* tu l'as perdu.

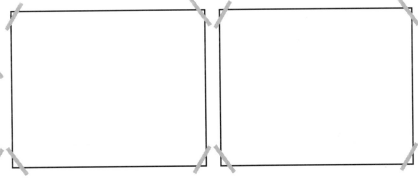

Perdu!
Pullover rouge en laine
près de la gare
lundi 2 mai
Tel:01:45:67:93:08

Perdu(e)(s)! *(objet)*	noir(e)(s) / gris(e)(s) / jaune(s) / vert(e)(s) / brun(e)(s), *etc.*	en cuir en or en argent en plastique, *etc.*

Tu peux également indiquer...

- la marque (*marque 'Kodak'*, etc.)
- le pays de la fabrication (*japonais(e), allemand(e)*, etc.)
- le contenu (*contenant de l'argent, des photos*, etc.)

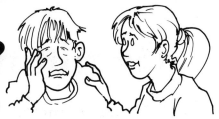

Qu'est-ce que tu as?

24.4,5 **1 Tu es malade?**

 Travaille avec un/une partenaire. Copiez les phrases ci-dessous (ou les illustrations), sur deux séries de cartes - *Problèmes* et *Remèdes*.

Je suis fatigué(e)!

J'ai mal à la tête!

                          Tu veux une tasse de thé?

                          Tu veux une pastille?

J'ai mal au ventre!

                          Tu veux de l'aspirine?

J'ai mal à la gorge!

                          Tu veux prendre un bain?

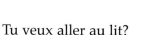

J'ai de la fièvre!

                          Tu veux aller au lit?

                          Tu veux voir un docteur?

J'ai une grippe!

                          Je peux téléphoner à l'hôpital, si tu veux!

Prenez les rôles de:

a un Français/une Française   **b** son correspondant/sa correspondante.

Tirez chacun une carte au hasard et inventez un dialogue:

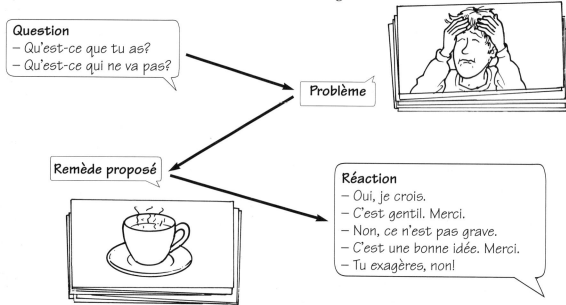

Question
– Qu'est-ce que tu as?
– Qu'est-ce qui ne va pas?

Problème

Remède proposé

Réaction
– Oui, je crois.
– C'est gentil. Merci.
– Non, ce n'est pas grave.
– C'est une bonne idée. Merci.
– Tu exagères, non!

Ça fait mal!

24.7,8 **1 Le corps humain**

Peux-tu nommer ces parties du corps? Complète les mots.   Exemple: la t_ête_

les o............

le d............

les y............

le n............

l'é............

la b............

le g............

le c............

le v............

le b............

le p............

la j............

la m............

24.7,8 **2 Où est-ce que tu as mal?**

Identifie les personnes qui parlent et complète les phrases avec les mots appropriés.

1 J'ai mangé énormément de pizza et de frites et j'ai bu quatre boîtes de limonade.

   J'ai mal au . . . . b **a**

2 J'ai assisté à un festival de rock. La musique était très bruyante.

   J'ai mal aux . . . .   **b**

3 J'ai fait une promenade de dix kilomètres à la campagne.

   J'ai mal aux . . . .   **c**

4 J'ai porté deux grosses valises de la gare à l'hôtel. L'hôtel est très loin de la gare!

   J'ai mal aux . . . .   **d**

5 Je suis resté dans ma chambre toute la journée à jouer sur mon ordinateur.

   J'ai mal aux . . . .   **e**

6 J'ai travaillé toute la journée dans le jardin pour gagner de l'argent de poche.

   J'ai mal au . . . .   **f**

| yeux   dos   ventre   pieds   oreilles   bras |

Des accidents

24.8 **1 Pauvre de toi!**

Lis ces extraits qui parlent d'accidents qui sont arrivés à ces quatre personnes:

1 Hier j'ai eu un accident à la plage. Je pêchais avec mon copain. J'ai marché sur une bouteille cassée qui était couvert de sable et je me suis coupé le pied! *b*

2 J'ai eu un accident ce matin. J'étais dans la cuisine en train d'ouvrir une boîte de conserves et je me suis coupé la main. Ça a fait très mal!

3 Je jouais au foot pour l'équipe de l'école samedi après-midi. Nos adversaires ont joué très agressivement et j'ai été blessé au bras mais ce n'était pas très grave.

4 Pendant le week-end on a fait un barbecue dans le jardin. J'ai voulu boire du coca mais il y avait une guêpe dans la boîte qui m'a piqué à la langue! J'ai dû aller chez le docteur!

a Identifie le dessin qui correspond le mieux à chaque accident.

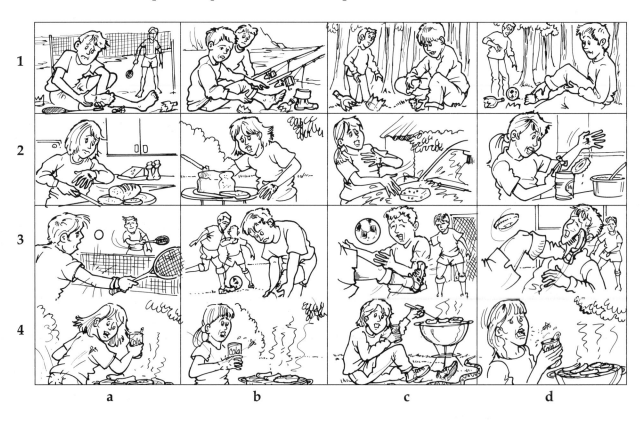

    a   **b**   **c**   **d**

b Pour chaque accident, explique pourquoi les autres dessins sont faux!

Exemple: **1a** *Il joue au badminton.*
               c *C'est dans une forêt.*
               d *Il joue au foot.*

Qu'est-ce qui s'est passé?

24.8,10,11 **1 Chez le dentiste**

Ce jeune Français décrit un incident qui s'est passé pendant son séjour en Angleterre.

a Remplis les blancs en inscrivant les mots qui conviennent.
b Mets les phrases dans le bon ordre, en inscrivant le numéro de chaque image dans la bonne case.

En rentrant à la maison, mon correspondant m'a offert un · · · · · · · · · · · · · · ☐
Comme tu peux t'imaginer, j'ai · · · · · · · · · · · · · · !

Un jour, j'ai acheté un · · · · · · · · · · de bonbons. ☐

En attendant mon tour dans la · · · · · · · · · ·, j'ai eu très · · · · · · · · · ☐

Le père de mon · · · · · · · · · · · · · · a téléphoné au · · · · · · · · · · et
a fait un · · · · · · · · · · · · ☐

Il m'a plombé une dent, mais ça n'a pas fait · · · · · · · · · · · · · ☐

J'ai mordu dans un · · · · · · · · · · · · et, soudain, j'ai eu mal aux · · · · · · · · · · ! ☐

L'· · · · · · · · · · dernier, je suis allé en Angleterre. J'ai passé trois · · · · · · · · · · chez mon
correspondant anglais. ☐1

Heureusement, le dentiste était · · · · · · · · · · · ☐

mal	correspondant	peur	bonbon	salle d'attente	semaines	paquet	refusé	caramel
an	dents	dentiste	sympathique	rendez-vous				

Séjour à Paris

1 Jeu

Travaille avec un/une partenaire. Vous avez besoin d'un dé et de deux pions.

HÔTEL

Tu prends le métro. Avance de quatre cases.

Tu as oublié ton argent. Retourne à l'hôtel.

1 2 3 4 5 6 7 8 9

Un agent te donne des renseignements. Avance de deux cases.

SYNDICAT D'INITIATIVE

Tu encaisses un chèque de voyage. Avance de trois cases.

Tu es fatigué(e). Tu prends un café. Passe un tour.

CAFÉ

10

11

12

23 22 21 20 19 18 17 16 15 14 13

Tu loues un scooter. Avance de trois cases.

Tu perds ton billet de métro. Recule de quatre cases.

24

25

HÔPITAL

COMMISSARIAT

26 27 28 29 30 31 32 33 34 35 36 37

38

Tu es perdu(e) dans Paris. Retourne au Syndicat d'Initiative chercher un plan de ville.

Tu as un accident. Retourne à l'hôpital et passe deux tours.

Un pickpocket vole ton argent. Retourne au commissariat.

39

40

Tu prends le mauvais chemin. Passe un tour.

Il y a un embouteillage. Recule de deux cases.

Il pleut. Recule de deux cases.

41

55 54 53 52 51 50 49 48 47 46 45 44 43 42

56

RESTAURANT

Tu manges au restaurant. Passe deux tours.

Tu perds ton passeport. Retourne au commissariat.

Tu trouves beaucoup de cadeaux. Avance de deux cases.

57

58

Le soleil brille. Avance de deux cases.

Tu prends l'autobus. Avance de trois cases.

L'avion est en retard. Recule de quatre cases.

AÉROPORT

59

60 61 62 63 64 65 66 67 68 69 70

Tu prends un taxi. Joue encore une fois.

Dossier sonore: Le présent

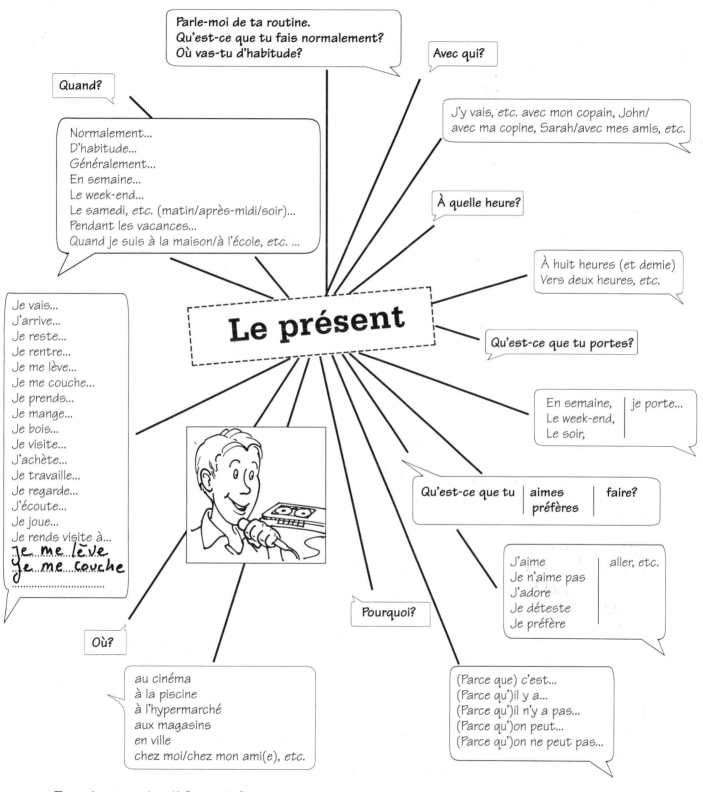

Parle-moi de ta routine.
Qu'est-ce que tu fais normalement?
Où vas-tu d'habitude?

Avec qui?

J'y vais, etc. avec mon copain, John/
avec ma copine, Sarah/avec mes amis, etc.

Quand?

Normalement...
D'habitude...
Généralement...
En semaine...
Le week-end...
Le samedi, etc. (matin/après-midi/soir)...
Pendant les vacances...
Quand je suis à la maison/à l'école, etc. ...

À quelle heure?

À huit heures (et demie)
Vers deux heures, etc.

Le présent

Qu'est-ce que tu portes?

Je vais...
J'arrive...
Je reste...
Je rentre...
Je me lève...
Je me couche...
Je prends...
Je mange...
Je bois...
Je visite...
J'achète...
Je travaille...
Je regarde...
J'écoute...
Je joue...
Je rends visite à...
Je me lève
Je me couche

En semaine, | je porte...
Le week-end,
Le soir,

Qu'est-ce que tu | aimes | faire?
| préfères |

J'aime | aller, etc.
Je n'aime pas |
J'adore
Je déteste
Je préfère

Pourquoi?

Où?

au cinéma
à la piscine
à l'hypermarché
aux magasins
en ville
chez moi/chez mon ami(e), etc.

(Parce que) c'est...
(Parce qu')il y a...
(Parce qu')il n'y a pas...
(Parce qu')on peut...
(Parce qu')on ne peut pas...

Et maintenant à toi! Sers-toi de ces notes...

a ... pour parler de ce que tu fais pendant la semaine.

b ... pour comparer ça à ce que tu fais le week-end.

Dossier sonore: Le passé

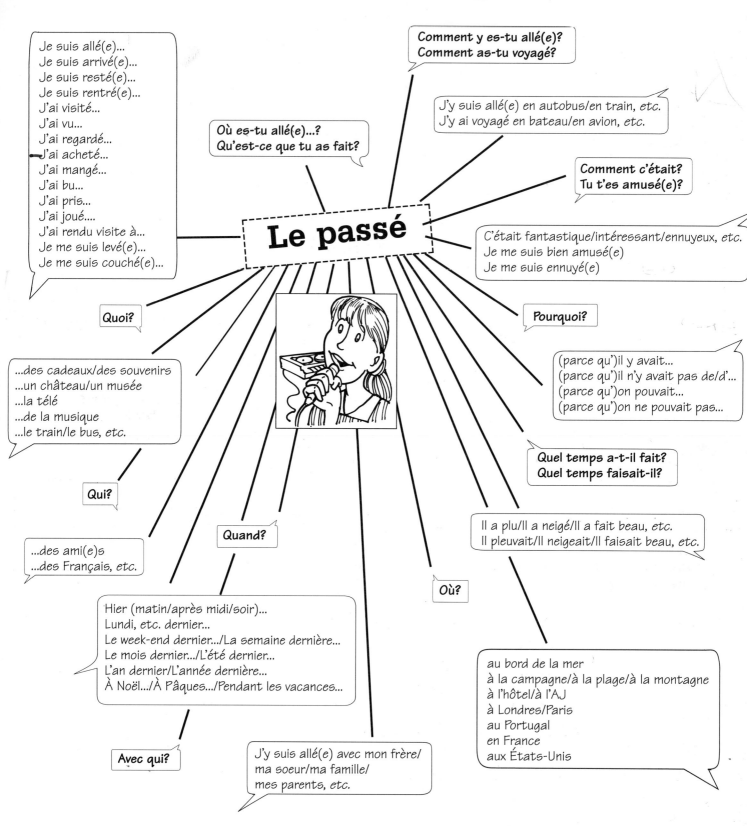

Je suis allé(e)...
Je suis arrivé(e)...
Je suis resté(e)...
Je suis rentré(e)...
J'ai visité...
J'ai vu...
J'ai regardé...
J'ai acheté...
J'ai mangé...
J'ai bu...
J'ai pris...
J'ai joué....
J'ai rendu visite à...
Je me suis levé(e)...
Je me suis couché(e)...

Comment y es-tu allé(e)?
Comment as-tu voyagé?

Où es-tu allé(e)...?
Qu'est-ce que tu as fait?

J'y suis allé(e) en autobus/en train, etc.
J'y ai voyagé en bateau/en avion, etc.

Comment c'était?
Tu t'es amusé(e)?

Le passé

C'était fantastique/intéressant/ennuyeux, etc.
Je me suis bien amusé(e)
Je me suis ennuyé(e)

Quoi?

...des cadeaux/des souvenirs
...un château/un musée
...la télé
...de la musique
...le train/le bus, etc.

Pourquoi?

(parce qu')il y avait...
(parce qu')il n'y avait pas de/d'...
(parce qu')on pouvait...
(parce qu')on ne pouvait pas...

Qui?

Quel temps a-t-il fait?
Quel temps faisait-il?

...des ami(e)s
...des Français, etc.

Quand?

Où?

Il a plu/Il a neigé/Il a fait beau, etc.
Il pleuvait/Il neigeait/Il faisait beau, etc.

Hier (matin/après midi/soir)...
Lundi, etc. dernier...
Le week-end dernier.../La semaine dernière...
Le mois dernier.../L'été dernier...
L'an dernier/L'année dernière...
À Noël.../À Pâques.../Pendant les vacances...

au bord de la mer
à la campagne/à la plage/à la montagne
à l'hôtel/à l'AJ
à Londres/Paris
au Portugal
en France
aux États-Unis

Avec qui?

J'y suis allé(e) avec mon frère/
ma soeur/ma famille/
mes parents, etc.

Et maintenant à toi! Sers-toi de ces notes pour parler...

a ... d'hier soir. **b** ... du week-end dernier. **c** ... de tes dernières vacances.

Dossier sonore: Le futur

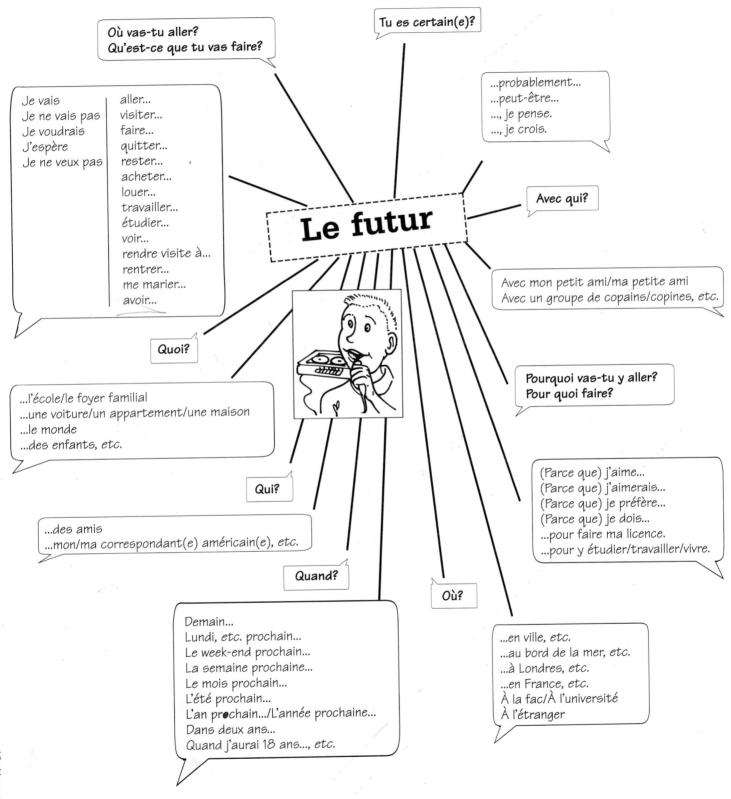

Et maintenant à toi! Sers-toi de ces notes pour parler de tes projets pour...

a ... le week-end prochain.   **b** ... les vacances de Noël/les vacances d'été.   **c** ... ton avenir.

L'avenir

25.1a **1 Ce que je ferai...**

Inscris la bonne lettre à côté de chaque image.

a Je voudrais acheter une grande maison à la campagne.
b J'ai l'intention de devenir professeur.
c J'espère me marier et avoir deux enfants.
d Je vais m'offrir une grosse moto.
e Je vais travailler dans une ferme.
f Je rêve de devenir acteur.
g J'ai l'intention de devenir riche.

25.1b **2 Comment je vois l'avenir**

 Écoute ces cinq personnes qui parlent de leur avenir. Remplis la grille.

		voyager	une belle maison	beaucoup d'argent	avoir des enfants	une belle voiture
Exemple:	Julie	✔		✔		
	Camille					
	Marie					
	Rémy					
	Thomas					

Mes rêves

1 Loto! 25.1c

Si tu gagnais à la loterie, qu'est-ce que tu voudrais faire? Travaille avec un/une partenaire.

Exemple: *Je voudrais acheter une Porsche.*
Je ne voudrais pas travailler dans un bureau.

a acheter une Porsche.
b travailler dans un bureau.
c acheter une Skoda.
d visiter les États-Unis.
e visiter Wigan.
f passer des vacances aux Caraïbes.
g passer des vacances à Skegness.
h donner de l'argent aux oeuvres de charité.
i boire du Champagne tous les jours.

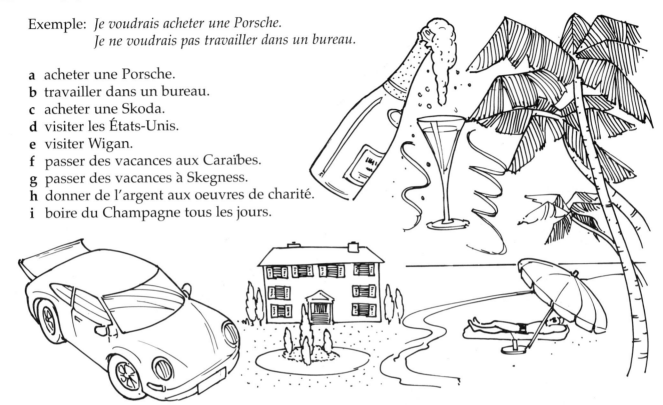

2 Les ambitions 25.4

Complète les phrases suivantes:

a Je voudrais entrer dans l'armée *pour devenir soldat.*

b J'espère faire des études médicales . . . .

c Je voudrais avoir des enfants – . . . .

d J'ai l'intention de gagner beaucoup d'argent . . . .

e Je voudrais habiter . . . .

f Je voudrais conduire . . . .

g Je rêve d'épouser . . . .

h Je vais travailler en France . . . .

deux filles et deux garçons	dans une très grande maison
pour devenir docteur	pour perfectionner mon français
pour devenir soldat	et de devenir riche
mon homme idéal/ma femme idéale	une belle voiture rapide

La boule de cristal

25.5 **1 Rêve ou réalité?**

Regarde dans la boule de cristal. Est-ce que les ambitions de Jean-Michel seront réalisées?

a Je vais avoir deux enfants. *oui* ....

b Je vais habiter une maison avec une piscine. ...

c Je vais passer des vacances dans un hôtel de luxe.

d Je vais avoir un yacht. ....

e Je vais avoir un chien. ....

f Je vais chanter dans un groupe. ....

g Je vais écrire un livre. ....

h Je vais faire du delta-plane. ....

25.5 **2 La réalité**

Regarde encore une fois dans la boule de cristal et fais une liste de ce qui va arriver à Jean-Michel.

Exemple: *Il va avoir deux enfants.*
Il va travailler dans un bureau...

25.7 **3 Comment vois-tu ton avenir personnel?**

Écris quelques lignes sur tes rêves pour l'avenir.

Voici quelques phrases utiles:

> Je voudrais...
> J'espère...
> J'ai l'intention de...
> Je vais...
> Je rêve de...

Le travail

26.1 ## 1 J'ai un petit boulot

Laurence parle de son petit boulot. Écoute la cassette et écris *vrai* ou *faux* en dessous de chaque dessin.

a

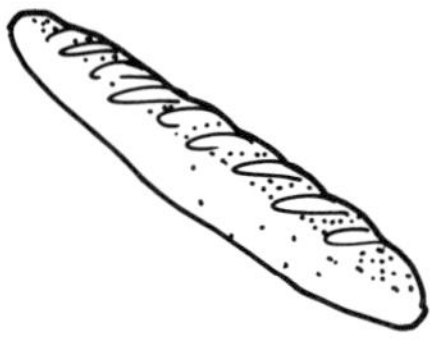

Exemple: *vrai*

b

c

d

e

f

g

h

26.3 ## 2 Offres d'emploi

Lis ces offres d'emploi et choisis un métier pour les personnes ci-dessous.

1
SECRÉTAIRE BI-LINGUE
Doit parler anglais/allemand ou espagnol.
Séjours à l'étranger possibles.

4
CHEF DE CUISINE
Hôtel ***. 37 heures par semaine.
Doit être motivé(e) et organisé(e).

2
MÉCANICIEN(NE)
Garage au centre-ville.
Doit être travailleur(euse) et efficace.

5
PROGRAMMEUR(EUSE)
35 heures par semaine.
Recherche personne ambitieuse.

3
TRAVAIL À LA FERME
Recherche personne travailleuse et
motivée pour s'occuper des vaches et
des moutons.

6
GUIDE
Vous aimez l'histoire? Vous aimez le
contact avec le public? Faites des visites
guidées au château

a Élodie est très motivée et elle voudrait un travail intéressant et bien payé. Elle a étudié l'informatique, les maths et les sciences. Exemple: 5

b Amina travaille beaucoup et elle est très dynamique et organisée. Elle aime les voitures. ☐

c Daniel s'intéresse aux langues étrangères. Il voudrait voyager et voir le monde. Il a étudié les langues, le commerce et la dactylographie. ☐

d Emmanuelle voudrait travailler en plein air. Elle adore les animaux. Elle a étudié la biologie et les maths. ☐

e Paul a étudié les arts ménagers et la technologie. Il est efficace et ambitieux. Il aime préparer les repas. ☐

f Jérôme aime rencontrer des gens. Il est intelligent, patient et gentil. Il a étudié l'histoire, l'anglais et le théâtre. ☐

Une demande d'emploi

26.2a **1 Un CV**

 Écoute Aline et <u>souligne</u> la bonne réponse.

NOM:	THIERRY, Aline	THEREY, Aline	<u>THIERS, Aline</u>
ÂGE:	15 ans	16 ans	17 ans
ADRESSE:	23 rue de Beauregard, TOULON	33, rue de Beauregard, TOULON	33 rue de Beauregard, TOULOUSE
MATIÈRES ÉTUDIÉES:	les maths, le français, l'histoire, l'anglais	les maths, le français, l'anglais, la technologie	les maths, le français, l'histoire, les sciences
PASSE-TEMPS:	le sport, la musique, la lecture	le théâtre, la lecture, la musique	la musique, les sports d'hiver, le dessin
QUALITÉS:	motivée, ambitieuse, travailleuse	travailleuse, motivée, organisée	patiente, motivée, travailleuse
EXPÉRIENCE:	jeune fille au pair en Angleterre	jeune fille au pair en Allemagne	jeune fille au pair en Angleterre, vendeuse

26.2a **2 Il y a erreur!**

Florence a écrit son CV, mais elle a eu des problèmes avec son ordinateur. Corrige les fautes.

NOM:	Efficace, modeste, sympathique	*RICHARD, Florence* ....
ÂGE:	Caissière au supermarché CASINO	. . . .
ADRESSE:	RICHARD, Florence	. . . .
MATIÈRES ÉTUDIÉES:	18 ans	. . . .
PASSE-TEMPS:	Maths, sciences naturelles, technologie	. . . .
QUALITÉS:	35, rue du Port, 34500 BÉZIERS	. . . .
EXPÉRIENCE:	Handball, natation, lecture	. . . .

26.2b **3 À toi!**

Écris ton Curriculum Vitae en français.

Dossier sonore: Un entretien

1 Les questions-clés

Peux-tu répondre à ces questions?

1 Comment vous appelez-vous?
2 Quelles sont vos qualités?
3 Qu'est-ce que vous avez étudié?
4 Avez-vous de l'expérience professionelle?
5 Quels sont vos passe-temps?
6 Pourquoi voulez-vous travailler ici?

2 Les réponses

Regarde les questions ci-dessus et trouve la réponse qui correspond.

a J'ai étudié les maths, le français, l'anglais, et les sciences. Exemple: ☐ 3
b J'aime le cinéma, la lecture et la musique. ☐
c Je m'appelle Georges Nogent. ☐
d J'ai travaillé dans une agence de voyages l'année dernière. ☐
e Je pense que ce travail est intéressant et j'aime rencontrer des gens. ☐
f Je suis dynamique, motivé et travailleur. ☐

3 Réponse modèle

Voici un entretien. Les réponses du candidat manquent. Choisis la bonne réponse pour chaque question.

Quel âge avez-vous? ☐ a
Vous êtes de quelle nationalité? ☐
Pourquoi voulez-vous cet emploi? ☐
Avez-vous de l'expérience? ☐
Quelles sont vos qualités? ☐
Quels sont vos loisirs? ☐
Vous parlez quelles langues? ☐
Quelle est votre situation de famille? ☐

a J'ai vingt ans.
b Je suis organisé, patient et efficace.
c Je suis passionné de sport.
d Je suis Français.
e Je cherche un métier intéressant.
f J'ai travaillé dans une banque pendant deux ans.
g Je suis célibataire.
h Je parle anglais et espagnol.

Mon stage pratique

26.1 ## 1 Mes expériences

Quatre jeunes Français parlent de leur expérience pendant leurs stages. Lis les textes et réponds aux questions.

J'ai travaillé dans un garage. J'aidais à réparer des voitures. Je commençais le travail à huit heures et je finissais vers cinq heures et demie. C'était fatigant, mais j'ai beaucoup aimé le stage. Mes collègues étaient très sympas.

**Coralie,
15 ans**

J'ai travaillé chez un dentiste comme réceptionniste. Je répondais au téléphone. J'ai l'intention de devenir médecin et donc le travail était intéressant. Un seul problème: je n'aimais pas l'uniforme blanc.

**Magali,
16 ans**

J'ai travaillé dans une école maternelle où je gardais les petits enfants. J'ai beaucoup aimé le contact avec les petits, mais c'est un travail assez difficile. J'avais souvent mal à la tête. Un autre problème: l'école était assez loin de chez moi.

**Youssef,
15 ans**

J'ai travaillé dans une agence de voyages. C'était fantastique. Je portais un uniforme bleu. C'était très chic. J'aidais les clients à choisir des destinations pour leurs vacances. Je voudrais travailler dans une agence de voyages après mes études.

**Élise,
15 ans**

Qui...?

... n'aimait pas son uniforme?   Exemple: . . *Magali* . . . .

... aimait son uniforme? . . . .

... travaillait comme mécanicienne? . . . .

... a travaillé avec des enfants? . . . .

... a dû faire un long trajet pour aller au travail? . . . .

... espère devenir docteur? . . . .

... était complètement satisfaite de son stage? . . . .

... s'entendait bien avec les autres employés? . . . .

26.2 ## 2 Le stage de Lakdar

Remplis les blancs pour parler du stage pratique de Lakdar.

Pour mon stage pratique j'ai travaillé dans un _____.

Je commençais le travail à _____ heures et je finissais à _____ heures.

J'allais au travail en _____.

Je devais répondre au _____ et je préparais du _____.

Je n'ai pas aimé mon stage parce que le travail était _____.

Voici les mots qui manquent:

cinq	neuf	thé
barbant		bureau
autobus		téléphone

L'argent de poche

27.1 | **1 Ce que j'achète...**

Écoute ces cinq jeunes Français parler de l'argent de poche. Qu'est-ce qu'ils achètent avec leur argent? Coche les cases correctes.

Exemple:	**Salma**	✔			✔	✔
	Rachid					
	Corinne					
	Isabelle					
	Olivier					

27.1,2 | **2 Tu économises de l'argent?**

Inscris le bon prénom en dessous de chaque dessin.

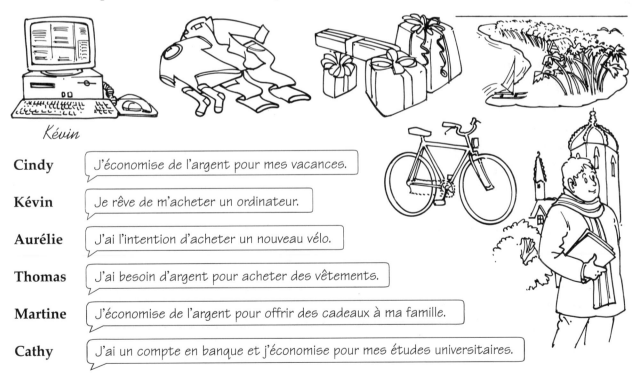

Kévin

Cindy — J'économise de l'argent pour mes vacances.

Kévin — Je rêve de m'acheter un ordinateur.

Aurélie — J'ai l'intention d'acheter un nouveau vélo.

Thomas — J'ai besoin d'argent pour acheter des vêtements.

Martine — J'économise de l'argent pour offrir des cadeaux à ma famille.

Cathy — J'ai un compte en banque et j'économise pour mes études universitaires.

27.3 | **3 Et toi?**

Écris quelques lignes et donne des détails sur ce que tu fais avec ton argent de poche.

De l'argent en plus

1 Une enquête

Écoute la cassette et coche la bonne réponse.

a Combien d'argent reçois-tu? 50 francs   75 francs ✔   100 francs

b Qui te le donne?   mes parents   ma grand-mère

c Qu'est-ce que tu achètes?

d Tu en économises une partie?   oui   non

e Tu aides à la maison?

f Tu as un petit boulot?

2 Un sondage

Pose les mêmes questions à tes camarades de classe et trouve quelqu'un qui...

... reçoit £5 par semaine. Exemple: .....*Kirsty*................................

... reçoit de l'argent de ses grands-parents. ....

... achète des magazines. ....

... fait du repassage. ....

... travaille dans un magasin. ....

... économise de l'argent pour partir en vacances. ....

3 Le travail à la maison

Écoute ces cinq personnes et remplis la grille.

		La tâche	Il aime...	Il n'aime pas...
Exemple:	**Paul**	*laver la voiture*		✔
	Michel			
	Thibault			
	Franck			
	Jérémy			

Voici les tâches possibles: faire la vaisselle   laver la voiture
faire le repassage   faire le ménage   faire du jardinage

Faisons du shopping

27.5 **1 Les cadeaux**

Tu vas aux magasins pour trouver un cadeau d'anniversaire pour Joëlle, ton amie. Écoute Joëlle qui parle de ce qu'elle aime et coche les cadeaux possibles.

☐   ☐   ☐   ☐   ☐   ☐

27.5 **2 Les cadeaux de Noël**

Tu veux offrir des cadeaux à ta famille. Tu as seulement 150 francs. Regarde les prix et décide ce que tu vas acheter. Remplis la grille.

OFFRES SPÉCIALES!

CD La Chanson Française Volume 1	36 francs seulement!
Le Lézard Vert - roman policier à succès!	49 francs au lieu de 59 francs
Chaussettes en coton (rouges, noires ou grises)	38 francs la paire
Chocolats Les Pyrénéens (250 grammes)	32 francs
Puzzle (500 pièces)	56 francs
Collier de perles	28 francs
Bonbons à la menthe	15 francs
Vidéocassette Les Liens du sang	59 francs prix exceptionnel!

a   Ta mère aime la lecture et la musique.
b   Ta soeur aime regarder des vidéos et elle aime aussi les bijoux.
c   Ton père veut des chaussettes.
d   Ton petit frère aime les jouets et les bonbons.
e   Ta grand-mère aime les chocolats et les biscuits.

Personne	Cadeau	Prix
ta mère		
ta soeur		
ton père		
ton frère		
ta grand-mère		
	TOTAL: _____ francs	

Le grand magasin

27.6 **1 Quel étage?**

Tu vas dans un grand magasin pour faire des achats. Regarde le guide du magasin et décide où tu dois aller (troisième étage, deuxième étage, premier étage, rez-de-chaussée ou sous-sol).

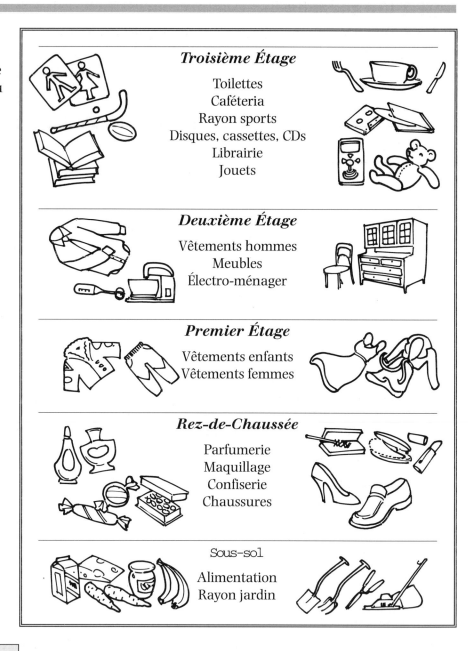

Troisième Étage

Toilettes
Caféteria
Rayon sports
Disques, cassettes, CDs
Librairie
Jouets

Deuxième Étage

Vêtements hommes
Meubles
Électro-ménager

Premier Étage

Vêtements enfants
Vêtements femmes

Rez-de-Chaussée

Parfumerie
Maquillage
Confiserie
Chaussures

Sous-sol

Alimentation
Rayon jardin

Ta liste	Quel étage?
une cravate	Exemple: *Il faut aller au deuxième étage.* . . . .
une boîte de chocolats	. . . .
une robe	. . . .
un ballon	. . . .
un livre de poche	. . . .
une bêche	. . . .
une table	. . . .

La mode

27.8 **1 C'est chic?**

Lis les phrases suivantes et décide si elles sont positives ou négatives. Mets-les dans la bonne colonne.

c'est pratique   c'est chic   c'est moche   c'est cool

c'est démodé   c'est élégant   c'est bizarre   c'est affreux

c'est beau   c'est confortable   c'est nul   c'est laid

	Positif	Négatif
Exemple:	c'est pratique	c'est moche

Que penses-tu des vêtements suivants? Choisis une des phrases ci-dessus.

un pantalon à pattes d'éléphant Exemple: ......*c'est moche*......................

une cravate en laine ....

une minijupe ....

un blouson en cuir ....

un anorak ....

un bermuda ....

un jogging ....

27.7 **2 C'est qui?**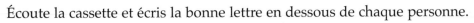

Écoute la cassette et écris la bonne lettre en dessous de chaque personne.

c   ☐   ☐   ☐   ☐

Qu'est-ce qu'on va mettre?

27.10 **1 Qu'est-ce que tu mets?**

Choisis les vêtements qui conviennent pour les activités suivantes:

a pour aller à la plage
b pour assister à un mariage
c pour aller à une boum
d pour jouer au tennis
e pour promener le chien
f pour aller à l'école

  i Je mets un short blanc, un tee-shirt blanc et des baskets. Exemple: [d]

 ii Je porte une robe jaune, un collant, des chaussures à talons hauts et une veste blanche. ☐

iii Je mets un maillot de bain, un short en jean et mes lunettes de soleil. ☐

 iv Je mets un body blanc, une minijupe noire et un blouson rouge. ☐

  v Je porte une jupe grise, un chemisier blanc et une cravate. ☐

 vi Je mets un jean, un sweat-shirt et des baskets. ☐

27.9 **2 Qu'est-ce qu'ils doivent mettre?**

Donne des conseils aux personnalités suivantes:

Exemple: **a** *Il doit mettre un costume noir, une cravate et une chemise blanche.*

a Tony Blair quand il fait un discours au Parlement.
b La Reine quand elle inaugure un hôpital.
c Madonna quand elle fait un concert.
d Tom Cruise quand il assiste à la sortie de son nouveau film.
e Baby Spice quand elle va en boîte.

L'uniforme scolaire

Unité 28 **1 À mon avis...**

Écoute ces jeunes Français qui donnent leur avis sur l'uniforme scolaire. Remplis la grille.

	Pour l'uniforme	Contre l'uniforme	Raison
Exemple: Cathy	✔		*c'est élégant*
Anaïs			
Eric			
Luc			

Voici les raisons possibles:

c'est pratique   c'est bizarre   c'est élégant   c'est moche

Unité 28 **2 Qu'est-ce que tu en penses?**

Donne ton avis sur ton uniforme scolaire en complétant cette grille.

Vêtement	Couleur	Opinion
Exemple: un pantalon	*gris*	*c'est moche*
une jupe		
une chemise		
un chemisier		
des chaussures		
des chaussettes		
une cravate		
un pull-over		
une veste		

Unité 28 **3 À toi!**

Dessine ton uniforme idéal et donne les raisons de ton choix.
Exemple: *Je voudrais porter un sweatshirt bleu parce que c'est pratique. J'aime le bleu aussi.*

La vie scolaire

28.1 **1 Ils aiment l'école?**

Écoute ces deux jeunes Français qui parlent de leur vie scolaire et souligne les erreurs.
Exemple: *Khalid n'est pas très sportif.*

a Khalid n'est pas très sportif.
Il trouve que l'école est utile et intéressante.
Les professeurs sont sympathiques et il y a une bonne ambiance.
Les bâtiments sont modernes. Il y a une bonne bibliothèque et une piscine.
Il veut continuer ses études parce qu'il veut devenir professeur.
Il veut gagner beaucoup d'argent.

b Justine trouve l'école intéressante.
Les professeurs la traitent comme une adulte.
Elle est forte en dessin et en maths.
Dans son école il y a beaucoup de graffiti aux murs.
Les toilettes sont sales et horribles.
Elle va quitter l'école pour trouver un emploi.

28.3 **2 L'école idéale**

À ton avis, qu'est-ce qui est le plus important? Mets ces phrases dans l'ordre de l'importance (de 1 à 10).

a La discipline est stricte. ☐

b L'ambiance est agréable. ☐

c L'équipement sportif est bon. ☐

d Il y a une grande bibliothèque. ☐

e Il n'y a ni graffiti ni papiers sales. ☐

f Les professeurs sont bons. ☐

g On a beaucoup de devoirs à faire. ☐

h Les résultats sont excellents. ☐

i Il y a une piscine. ☐

j Les locaux sont bien décorés et bien entretenus. ☐

Les règles

28.1d **1 Ce qu'il faut faire**

Inscris les règles suivantes dans la bonne colonne

... fumer des cigarettes
... écrire des graffiti aux murs
... porter l'uniforme
... arriver à l'heure
... jeter des papiers par terre

... respecter les professeurs
... quitter l'école sans permission
... manger en classe
... faire ses devoirs
... faire attention en classe

Il faut...	Il ne faut pas...

28.3c **2 L'emploi du temps idéal**

Quel est ton emploi du temps idéal? Voici quelques idées pour t'aider:

L'emploi du temps de Simon Sage

LUNDI	
8h	Maths
9h	Anglais
10h	Français
11h	Sciences
12h	Déjeuner
	Travail à la bibliothèque
	Club d'échecs
14h	Technologie
15h	Histoire-géo
16h	Musique
	Devoirs

L'emploi du temps de Charles Chahut

LUNDI	
8h	Libre
9h	Éducation physique
10h	Récréation
11h	Télévision
12h	Déjeuner
14h	Informatique (jeux)
15h	Match de foot
16h	Libre

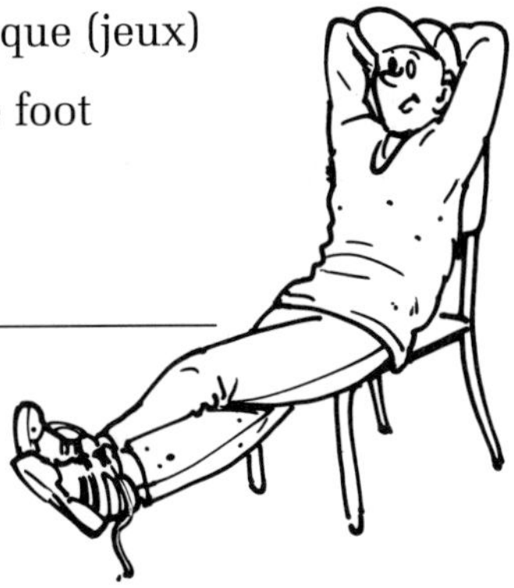

Dossier sonore: L'éducation et l'avenir

1 Les questions-clés

Peux-tu répondre à ces questions?

1 Comment est ton école?
2 Que penses-tu de l'uniforme?
3 Tu t'entends bien avec tes professeurs?
4 Quels changements voudrais-tu faire?
5 Quelles matières préfères-tu?
6 Qu'est-ce que tu vas faire l'année prochaine?
7 Comment vois-tu ton avenir?

2 Les réponses

Regarde les questions ci-dessus et trouve la réponse qui correspond.

a Je m'entends très bien avec eux. Ils sont très sympas dans l'ensemble. Exemple: ☐ 3

b Je voudrais voyager beaucoup et avoir un emploi intéressant. ☐

c Je voudrais faire décorer les salles de classe et faire construire une piscine. ☐

d C'est une école mixte. Les bâtiments sont assez modernes. ☐

e Je vais continuer mes études. ☐

f Je n'aime pas beaucoup la couleur, mais c'est pratique, je suppose. ☐

g J'adore le dessin, c'est utile. Par contre, je ne peux pas supporter les sciences.
   Le professeur n'est pas très sympa. ☐

3 Réponse modèle

<u>Souligne</u> la bonne réponse.

J'adore/J'aime/Je déteste mon école.
Les bâtiments sont modernes/vieux.
Les professeurs sont gentils/incompétents/affreux.
Ils nous traitent comme des bébés/comme des petits enfants/comme des adultes.
L'uniforme est moche/beau/pratique.
J'aime/Je n'aime pas l'anglais parce que c'est intéressant/barbant et j'adore/je déteste les maths parce que c'est utile/c'est difficile.
L'année prochaine je vais continuer mes études/quitter l'école.
Je voudrais aller à l'université/trouver du travail.

Ah, les parents!

29.2a **1 Une dispute**

 Écoute la dispute entre Hugues et ses parents et inscris la bonne lettre à côté de chaque dessin.

29.2b **2 Le courrier du coeur**

Lis ces trois lettres et réponds aux questions.

> J'ai 15 ans. Je ne sais plus quoi faire. J'adore mes études et je veux devenir professeur un jour. Je n'aime pas sortir et je préfère faire mes devoirs. Mes parents ne me comprennent pas. Ils m'encouragent à aller au cinéma ou en boîte. Aidez-moi car je suis désespérée.
>
> **Agnès, 15 ans**

> J'ai 14 ans et le weekend j'aime sortir avec mes copines. Mon problème? Mes parents! Ils ne me permettent pas de me maquiller et ils critiquent mon choix de vêtements. Je vous écris parce que je ne sais pas ce que je dois faire. Répondez-moi vite, je vous en prie.
>
> **Béatrice, 14 ans**

> J'ai rencontré une fille très sympa à mon centre d'équitation, mais je n'ose pas lui parler. Quand elle s'approche de moi, je rougis et je ne peux pas parler. Je suis très malheureux. Qu'est-ce que je peux faire pour avoir plus de confiance en moi? J'attends votre réponse.
>
> **Laurent, 15 ans**

Qui...?

... veut devenir professeur? Exemple: .....*Agnès*.............

... veut mettre du rouge à lèvres, *etc*? ....

... aime faire du cheval? ....

... est timide? ....

... préfère rester à la maison au lieu de sortir? ....

... n'a pas de problèmes avec ses parents? ....

Je m'entends bien avec...

29.2 **1 Ma famille**

Écoute Yves qui parle de sa famille. Lis les phrases suivantes. Sont-elles vraies (*v*) ou fausses (*f*)?

a Il s'entend bien avec son père. Exemple: | *v* | e Il s'entend bien avec son frère. | |

b Son père est généreux. | | f Son frère est sympa et gentil. | |

c Sa mère est sportive. | | g Sa soeur est bavarde. | |

d Elle est très sérieuse.   h Elle est timide. | |

29.1 **2 L'agence matrimoniale**

Trouve une partenaire pour les personnes suivantes:

1 Jeune homme, 25 ans, sérieux et travailleur, cherche jeune fille 18–22 ans pour faire des sorties (piscine, cinéma, promenades, *etc.*). Région: Paris

2 Jeune homme timide, veut rencontrer jeune femme tranquille, qui aime la nature. Région: nord de la France de préférence

3 Veuf, 45 ans, souhaite rencontrer une femme gentille, sportive, aimant la campagne.

4 Prof de 30 ans cherche jeune femme agréable de 25-30 ans. Doit être sportive, dynamique, drôle. Enfants acceptés.

Partenaires possibles:

 a Paulette Carteret, 30 ans, médecin dans la région Nord Pas-de-Calais, aime les promenades à la campagne. Elle est calme et réservée.

 b Patricia Clabecq, 27 ans, divorcée avec une fille. Elle a le sens de l'humour et elle joue au tennis et au badminton.

 c Claudette Gavroche, 45 ans, avocat, est sympathique et sportive. Elle aime les randonnées pédestres.

 d Colette Duval, 20 ans, parisienne, aime les romans de science-fiction. Elle aime la natation et les films d'aventures.

	Partenaire possible
1	
2	
3	
4	

Mangez équilibré!

30.5 **1 À toi de choisir**

Lis la carte et choisis un repas équilibré.

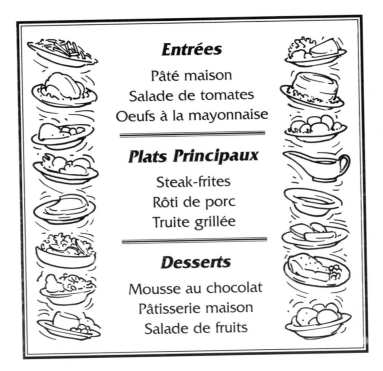

Entrées

Pâté maison
Salade de tomates
Oeufs à la mayonnaise

Plats Principaux

Steak-frites
Rôti de porc
Truite grillée

Desserts

Mousse au chocolat
Pâtisserie maison
Salade de fruits

Entrée . . . .

Plat principal . . . .

Dessert . . . .

30.1 **2 Ce que je mange...**

Écoute ces cinq personnes qui parlent de ce qu'ils aiment manger. Coche les cases correctes.

	chocolat	salade	poisson	frites	gâteaux	fruits
Martin						
Sophie						
Patricia						
Véronique						
Marc						

30.5 **3 Sois honnête!**

Et toi, qu'est-ce que tu aimes manger? Choisis un repas et écris quelques lignes sur ce que tu aimes manger.

La santé

30.6 **1 Je garde la forme**

Ces gens parlent de leur santé. Lis le passage et réponds aux questions.

Danielle

Sophie

Stéphane

Je n'aime pas le sport. Je préfère la lecture et regarder la télé. Je fume la pipe. Je ne bois pas d'alcool.

Pour garder la forme, je joue au tennis. Je déteste le tabac. J'aime le vin. Je dois avouer que je mange des frites. C'est mauvais pour la santé, mais j'adore ça.

Pour rester en forme, je fais de la natation. J'essaie de manger beaucoup de fruits. J'aime le whisky et je fume des cigares de temps en temps.

Je ne mange jamais de viande. Je bois de la bière, mais pas souvent. Je fume dix cigarettes par jour. Je fais du jogging tous les jours.

Camille

Qui... ?

... ne fume pas? . . . .

... est végétarienne? . . . .

... va à la piscine? . . . .

... ne boit pas d'alcool? . . . .

... aime lire? . . . .

... mange des pommes, des bananes, *etc*? . . . .

30.7 **2 Le tabac**

 Écoute ces quatre interviews et remplis la grille.

	Oui, il fume (combien par jour)	Non, il ne fume pas	Pourquoi?/Pourquoi pas?
Georges	✔ *(20 par jour)*		*c'est agréable*
Christian			
Khalid			
Patrice			

Les raisons:

ça me détend   ça sent mauvais   c'est dangereux   c'est agréable

Dossier sonore: La santé

1 Les questions-clés

Peux-tu répondre à ces questions?

1 Tu fumes des cigarettes?
2 Tu fais du sport?
3 Tu bois de l'alcool?
4 Tu dors bien?
5 Qu'est-ce que tu aimes manger?

2 Les réponses

Regarde les questions ci-dessus et trouve la réponse qui correspond.

a Je me couche à dix heures et je me lève à six heures. J'ai toujours huit heures de sommeil. ☐

b J'aime jouer au foot, et je vais au centre sportif une fois par semaine pour jouer au badminton et pour faire de la gymnastique. ☐

c Non, ça sent mauvais et c'est dangereux pour les poumons. ☐

d Je mange de la salade et des fruits, mais j'aime aussi les chocolats. ☐

e Je ne bois pas beaucoup, mais quand je vais au restaurant, j'aime boire du vin blanc. ☐

3 Réponse modèle

Une journée dans la vie de Simon Sain...

Simon se lève à six heures et demie. Il fait du jogging, puis il prend le petit-déjeuner - des céréales et un jus d'orange. Il quitte la maison à huit heures et il va au travail à vélo. À midi, il mange un sandwich et il va à la piscine. Il rentre à la maison et il prépare le dîner - de la viande, des légumes et des fruits. Il va au gymnase et il promène le chien. Il prend une douche et il se couche à dix heures.

Maintenant, raconte par écrit une journée typique de la vie de Maurice Malsain.

Jeu-test

30.5 **1 Tu sais bien manger?**

Bien manger, c'est facile. Il faut modérer la consommation de sucre, de graisse et de sel. Réponds à ces questions pour voir si tu sais bien te nourrir.

1 Lequel de ces plats est **le plus riche en fibres**?
 a 250g de spaghettis
 b 250g de pain complet
 c 250g de haricots blancs

2 Les boissons sucrées (coca, limonade *etc.*) contiennent l'équivalent de **combien de morceaux de sucre**?
 a 10 morceaux
 b 20 morceaux
 c 25 morceaux

3 Lequel de ces plats contient **le plus de graisse**?
 a steak-frites
 b poulet-frites
 c poisson au riz

4 100g de poisson apportent **autant de protéines et de fer que**:
 a 4 biscuits
 b 2 oeufs
 c 6 morceaux de sucre

5 Quel légume contient **le plus de sucre naturel**?
 a le petit pois
 b la carotte
 c le chou

6 Lequel de ces légumes contient **le plus de calories**?
 a l'avocat
 b la pomme de terre
 c le chou-fleur

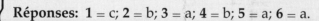

Réponses: 1 = c; **2** = b; **3** = a; **4** = b; **5** = a; **6** = a.

6 réponses correctes: Bravo! Tu sais manger équilibré.

4/5 réponses correctes: Tu ne manges pas trop mal, mais fais plus d'attention aux détails!

2/3 réponses correctes: Il faut te renseigner plus sur la nourriture. Tu risques d'avoir des problèmes plus tard.

0/1 réponse correcte: Tu manges n'importe quoi sans t'inquiéter! Mais c'est très mauvais pour la santé.

L'arc-en-ciel

1 Les couleurs

Lis l'article et remplis la grille.

Si vous aimez le rouge...
Vous aimez sortir, et vous voulez réussir. Vous êtes violent et impétueux.

Si vous aimez le orange...
Vous avez horreur des risques et vous ne jetez pas votre argent par la fenêtre.

Si vous aimez le jaune...
Vous détestez les vendredi 13 et évitez de passer sous une échelle. Vous êtes sentimental et poétique.

Si vous aimez le vert...
Vous êtes souvent dans la lune et vous oubliez souvent vos rendez-vous. Vous voulez vivre à la campagne.

Si vous aimez le bleu...
Vous êtes tranquille, vous n'êtes pas bavard, vous parlez peu. Vous vous mettez rarement en colère.

Si vous aimez le violet...
Vous êtes un passionné généreux. Le sport est votre passion. Vos films préférés sont les westerns et les films policiers.

Selon l'article, quelle est la couleur préférée des personnes suivantes?

une personne sportive	*le violet*
une personne calme	
une personne superstitieuse	
une personne ambitieuse	
une personne distraite	
une personne qui aime la nature	
une personne avare	

2 À toi!

Quelle est ta couleur préférée? Es-tu d'accord avec l'article?
Parle avec tes camarades de classe.

Un/Une partenaire idéal(e)

31.7 **1 Trouve ton/ta partenaire idéal(e)**

a D'abord, remplis ce formulaire.

> **1** Quelle est ta couleur préférée? . . . .
>
> **2** Quel est ton sport préféré? . . . .
>
> **3** Quel est ton animal préféré? . . . .
>
> **4** Quel est ton fruit préféré? . . . .
>
> **5** Quelle est ta matière préférée? . . . .
>
> **6** Quelle est ton émission de télé préférée? . . . .
>
> **7** Qui est ton acteur préféré? . . . .
>
> **8** Quelles sont les trois qualités
> principales chez un/une partenaire? **a)** . . . .
>
> **b)** . . . .
>
> **c)** . . . .

b Maintenant, interviewe trois personnes. (Les filles interviewent trois garçons et les garçons interviewent trois filles.)

Coche la case à chaque fois que vous avez quelque chose en commun.
À la fin, la personne qui a le score le plus élevé est ton partenaire idéal/ta partenaire idéale!

Personne 1	Personne 2	Personne 3
1 ☐	1 ☐	1 ☐
2 ☐	2 ☐	2 ☐
3 ☐	3 ☐	3 ☐
4 ☐	4 ☐	4 ☐
5 ☐	5 ☐	5 ☐
6 ☐	6 ☐	6 ☐
7 ☐	7 ☐	7 ☐
8 ☐	8 ☐	8 ☐
SCORE:	SCORE:	SCORE:

L'environnement

32.1 **1 La protection de l'environnement**

Écoute ces conseils et écris la bonne lettre à côté de chaque image.

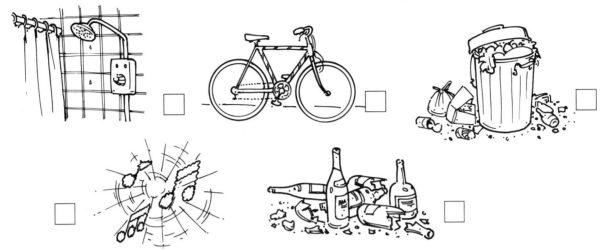

32.3 **2 Comment tu peux aider**

Complète les phrases suivantes:

a Laisse la voiture dans le garage   pour économiser l'énergie.

b Quand tu vas au supermarché   le soir quand il fait moins chaud.

c Arrose le jardin   et prends le bus.

d Ferme le robinet   réutilise les sacs en plastique.

e Éteins les lumières   quand tu te brosses les dents.

32.2 **3 Un sondage**

Interviewe dix camarades de classe.

	toujours	de temps en temps	rarement	jamais
Tu recycles le verre?				
Tu recycles les journaux?				
Tu jettes des papiers par terre?				
Tu économises l'eau?				

32.2 **4 Un article**

Écris un article sur le recyclage.

Exemple: *Dans ma classe, cinq élèves recyclent régulièrement le verre.*

Les animaux menacés!

32.7 **1 Les espèces en voie de disparition**

Écris la bonne lettre à côté de chaque image.

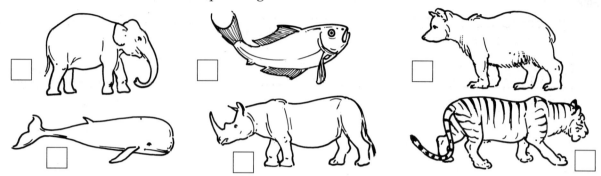

   a Les tigres sont en voie de disparition à cause de la chasse.
   b Les éléphants sont menacés parce que l'ivoire peut être vendu.
   c Les marées noires tuent tous les ans des poissons et des oiseaux.
   d La corne du rhinocéros est utilisée dans la fabrication des médicaments.
   e On chasse la baleine pour en faire du maquillage et des aliments pour chiens.
   f L'habitation naturelle de l'ours est en train de disparaître.

32.6 **2 Les zoos. Pour ou contre?**

 Écoute ces gens qui donnent leurs avis sur les zoos. Remplis la grille.

	pour	contre	Pourquoi?
Stéphanie			
Xavier			
Fatima			
Christophe			

Les raisons possibles:

c'est cruel   c'est dangereux   c'est éducatif   c'est indispensable

32.7 **3 Une campagne publicitaire**

Fais un poster pour encourager la protection d'une espèce menacée.

Voici quelques phrases utiles:

> Protégez...
> Sauvez...
> Ne tuez pas...
> Demain, ce sera trop tard
> Pour tes enfants...
> Donnez-leur un avenir